Contigo, siempre

SIGMAR

© 2011, QED Publishing para Quarto Group Company, Londres,
Inglaterra.
© 2011, Editorial Sigmar S.A., Avda. Belgrano 1580, Buenos Aires,
Argentina, para la versión en español. Derechos reservados.
Hecho el depósito de ley. Impreso en coedición en China
en 06/2014. Printed in China. Textos de Anette Aubrey.
Ilustraciones de Patricia Barton. Adaptación de Daniela Feoli.
Prohibida la reproducción total o parcial por cualquier medio visual,
gráfico, sonoro o electrónico.
www.sigmar.com.ar

Anette Aubrey
Contigo, siempre / Anette Aubrey ; adaptado por Daniela Feoli. -
1a ed. 1a reimp. - Ciudad Autónoma deBuenos Aires : Sigmar, 2014.
24 p. : il. ; 25x28 cm. - (Comprendamos)

ISBN 978-950-11-2951-9

1. Material Auxiliar para la Enseñanza. I. Feoli, Daniela, adapt.
CDD 371.33

Contigo, siempre

Textos:
Annette Aubrey

Ilustraciones:
Patrice Barton

Ariel no tenía un buen día. En realidad, era el peor día de su vida. Papá y mamá le habían dicho que se iban a separar. Y papá se iba a ir de la casa en pocos días.

Fue cuando terminaron de desayunar.
—Ven aquí, Ariel —dijo la mamá—. Hay algo que queremos decirte...

Hijo, papá y yo te amamos. Mucho. Siempre serás lo más importante para él y para mí. Pero nosotros dos no nos estamos llevando muy bien y... pensamos que lo mejor es que papá se vaya a vivir a otro lado.

6

"No", pensó Ariel, que no podía creer lo que oía.
"No puede ser".
-Pero, no... -empezó a decir-. Yo no quiero...
Mamá, **pídele perdón** a papá; después él te pide
perdón también, y listo...

—Bueno, no es tan fácil... hijo...
—Pero, ¡papá!, no puedes irte,
¿qué vamos a hacer mamá y
yo solos?

Y... ¿adónde vas a ir? —le dijo,
preocupado, abrazándolo—.

¿¡Te vas a tener que mudar a otra casa!?
¡Acá estamos bien!

Ariel empezó a pensar mil cosas.
Tantas, que se le hizo
un tremendo lío en la cabeza.

"A lo mejor se va por mi culpa",
pensaba.

10

"Quizá papá quiere vivir en otro lado porque está cansado de mí, porque a veces no le hago caso. Ni a él ni a mamá, por ejemplo, cuando me mandan a la cama y yo no quiero... y me enojo".

Sentía una especie de **nudo** en la panza.
Y tenía ganas de **llorar y llorar.**
Si su papá lo dejaba, ¿qué iba a hacer él?

Por todo eso, Ariel sentía que era el peor día en toda su vida. Sentado, con su oso, pensó que lo que necesitaba en ese momento era un abrazo, de los dos.

Y fue como si sus papás hubieran adivinado,
porque se sentaron junto a él y lo abrazaron
un buen rato, en silencio.

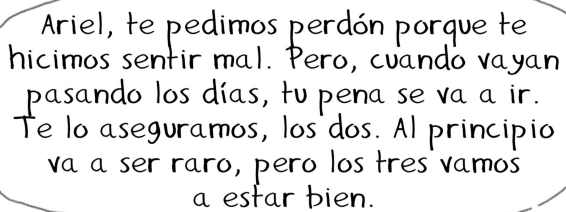

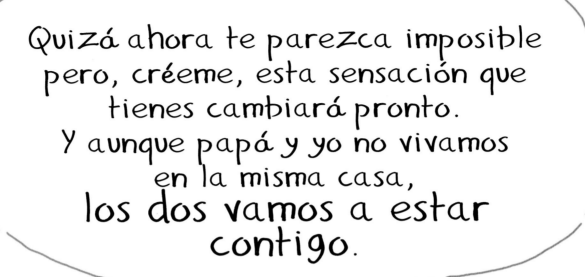

Quizá ahora te parezca imposible pero, créeme, esta sensación que tienes cambiará pronto.
Y aunque papá y yo no vivamos en la misma casa, **los dos vamos a estar contigo.**

16

Yo me iré a vivir a otra casa, pero igual estaré contigo para jugar, para pasear y todo lo que tú quieras... Siempre te voy a querer y a cuidar y a proteger. No debes temer por eso.

Y esto no tiene nada que ver contigo, Ariel. Es un problema que tenemos nosotros, porque a veces tu papá piensa y quiere algunas cosas, y yo pienso y quiero otras...

Pero tu mamá y yo vamos encontrar la forma de que esto funcione bien para los tres, y para que tú no tengas nada de qué preocuparte.

—No debes olvidarte de que eres lo más importante en nuestra vida, y siempre lo serás, y no te imaginas cuánto te amamos desde el día en que naciste —dijo mamá.

—No importa dónde vivamos;

siempre seremos tus padres y estaremos contigo
para escucharte y ayudarte, y tú siempre serás nuestro hijo

—dijo ahora el papá.

Después de escuchar todo esto, parecía que el día de Ariel estaba mejorando un poco. En realidad, ahora no parecía tan terrible. No estaba contento, pero tampoco tan mal como a la mañana.